THIS JOURNAL
BELONGS TO :

D1091967

Copyright ©

Who :   When :   Where :

♥·♥·♥·♥·♥·♥·♥·♥·♥·♥·

Who :   When :   Where :

Who :   When :   Where :

Who :   When :   Where :

Who :　　　　　When :　　　　　Where :

♥･♥･♥･♥･♥･♥･♥･♥･♥･

Who :　　　　　When :　　　　　Where :

Who :   When :   Where :

_____

_____

_____

_____

_____

_____

❤•❤•❤•❤•❤•❤•❤•❤•❤•

Who :   When :   Where :

_____

_____

_____

_____

_____

_____

Who :　　　　**When :**　　　　**Where :**

_____

_____

_____

_____

_____

♥ ♥ ♥ ♥ ♥ ♥ ♥ ♥ ♥ ♥

Who :　　　　**When :**　　　　**Where :**

_____

_____

_____

_____

_____

Who :   **When :**   **Where :**

_____

_____

_____

_____

_____

♥·♥·♥·♥·♥·♥·♥·♥·♥·♥

Who :   **When :**   **Where :**

_____

_____

_____

_____

_____

Who : **When :** **Where :**

_____
_____
_____
_____
_____

Who : **When :** **Where :**

_____
_____
_____
_____
_____

Who :   **When :**   **Where :**

_____

_____

_____

_____

_____

_____

Who :   **When :**   **Where :**

_____

_____

_____

_____

_____

_____

Who :　　　　　When :　　　　　Where :

―――――――――――――――――――――

―――――――――――――――――――――

―――――――――――――――――――――

―――――――――――――――――――――

―――――――――――――――――――――

♥·♥·♥·♥·♥·♥·♥·♥·♥·

Who :　　　　　When :　　　　　Where :

―――――――――――――

―――――――――――――――――

―――――――――――――――――

―――――――――――――――――

―――――――――――――

―――――――――――

Who :   When :   Where :

Who :   When :   Where :

Who :   When :   Where :

Who :   When :   Where :

Who :   **When :**   **Where :**

Who :   **When :**   **Where :**

Who :   When :   Where :

Who :   When :   Where :

Who :   When :   Where :

_____

_____

_____

_____

_____

_____

♥•♥•♥•♥•♥•♥•♥•♥•♥•

Who :   When :   Where :

_____

_____

_____

_____

_____

_____

Who :　　　　　　　When :　　　　　　　Where :

Who :　　　　　　　When :　　　　　　　Where :

Who :   **When :**   **Where :**

_____

_____

_____

_____

_____

♥·♥·♥·♥·♥·♥·♥·♥·♥

Who :   **When :**   **Where :**

_____

_____

_____

_____

_____

_____

Who :　　　　　　When :　　　　　　Where :

_____

_____

_____

_____

_____

_____

Who :　　　　　　When :　　　　　　Where :

_____

_____

_____

_____

_____

_____

Who :   When :   Where :

_____

_____

_____

_____

_____

_____

❤·❤·❤·❤·❤·❤·❤·❤·❤·

Who :   When :   Where :

_____

_____

_____

_____

_____

_____

Who :   When :   Where :

♥·♥·♥·♥·♥·♥·♥·♥·♥·♥·♥

Who :   When :   Where :

Who :   **When :**   **Where :**

_____

_____

_____

_____

_____

♥·♥·♥·♥·♥·♥·♥·♥·♥·

Who :   **When :**   **Where :**

_____

_____

_____

_____

_____

Who :　　　　　**When :**　　　　　**Where :**

_____
_____
_____
_____
_____
_____

♥•♥•♥•♥•♥•♥•♥•♥•♥•

Who :　　　　　**When :**　　　　　**Where :**

_____
_____
_____
_____
_____

Who :   When :   Where :

_____

_____

_____

_____

_____

_____

♥·♥·♥·♥·♥·♥·♥·♥·♥·

Who :   When :   Where :

_____

_____

_____

_____

_____

Who :   When :   Where :

♥ ♥ ♥ ♥ ♥ ♥ ♥ ♥ ♥ ♥

Who :   When :   Where :

Who :   **When :**   **Where :**

_____

_____

_____

_____

_____

_____

♥•♥•♥•♥•♥•♥•♥•♥•♥•♥•

Who :   **When :**   **Where :**

_____

_____

_____

_____

_____

_____

Who :   **When :**   **Where :**

_____

_____

_____

_____

_____

Who :   **When :**   **Where :**

_____

_____

_____

_____

_____

Who :　　　　　　When :　　　　　　Where :

_____

_____

_____

_____

_____

_____

♥·♥·♥·♥·♥·♥·♥·♥·♥·

Who :　　　　　　When :　　　　　　Where :

_____

_____

_____

_____

_____

Who :   When :   Where :

_____

_____

_____

_____

_____

♥•♥•♥•♥•♥•♥•♥•♥•♥•♥•♥•

Who :   When :   Where :

_____

_____

_____

_____

_____

Who :   **When :**   **Where :**

Who :   **When :**   **Where :**

Who :　　　　　　　When :　　　　　　　Where :

Who :　　　　　　　When :　　　　　　　Where :

Who :   When :   Where :

Who :   When :   Where :

Who :　　　　　When :　　　　　Where :

♥·♥·♥·♥·♥·♥·♥·♥·♥·

Who :　　　　　When :　　　　　Where :

Who :　　　　　When :　　　　　Where :

Who :　　　　　When :　　　　　Where :

Who :   When :   Where :

♥ ♥ ♥ ♥ ♥ ♥ ♥ ♥ ♥ ♥

Who :   When :   Where :

Who : **When :** **Where :**

_____
_____
_____
_____
_____
_____

♥ ♥ ♥ ♥ ♥ ♥ ♥ ♥ ♥

Who : **When :** **Where :**

_____
_____
_____
_____
_____
_____

Who :　　　　　When :　　　　　Where :

♥·♥·♥·♥·♥·♥·♥·♥·♥·♥·

Who :　　　　　When :　　　　　Where :

Who :   When :   Where :

_____

_____

_____

_____

_____

♥•♥•♥•♥•♥•♥•♥•♥•♥•

Who :   When :   Where :

_____

_____

_____

_____

_____

_____

Who :   When :   Where :

_____

_____

_____

_____

_____

💜·💜·💜·💜·💜·💜·💜·💜·💜

Who :   When :   Where :

_____

_____

_____

_____

_____

Who :   When :   Where :

♥•♥•♥•♥•♥•♥•♥•♥•♥•

Who :   When :   Where :

Who :   When :   Where :

Who :   When :   Where :

Who :   When :   Where :

♥･♥･♥･♥･♥･♥･♥･♥･♥･

Who :   When :   Where :

Who :   When :   Where :

_____

_____

_____

_____

_____

_____

♥ · ♥ · ♥ · ♥ · ♥ · ♥ · ♥ · ♥ · ♥ ·

Who :   When :   Where :

_____

_____

_____

_____

_____

_____

Who :   When :   Where :

_____

_____

_____

_____

_____

_____

Who :   When :   Where :

_____

_____

_____

_____

_____

_____

Who :   When :   Where :

Who :   When :   Where :

Who :   When :   Where :

_____

_____

_____

_____

_____

Who :   When :   Where :

_____

_____

_____

_____

_____

Who :   When :   Where :

♥ ♥ ♥ ♥ ♥ ♥ ♥ ♥ ♥ ♥

Who :   When :   Where :

Who :　　　　　　When :　　　　　　Where :

_____

_____

_____

_____

_____

_____

♥･♥･♥･♥･♥･♥･♥･♥･♥･

Who :　　　　　　When :　　　　　　Where :

_____

_____

_____

_____

_____

_____

Who :　　　　　When :　　　　　Where :

Who :　　　　　When :　　　　　Where :

Who :   When :   Where :

_____

_____

_____

_____

_____

_____

♥·♥·♥·♥·♥·♥·♥·♥·♥·

Who :   When :   Where :

_____

_____

_____

_____

_____

_____

Who :　　　　　When :　　　　　Where :

Who :　　　　　When :　　　　　Where :

Who :   When :   Where :

_____

_____

_____

_____

_____

♥·♥·♥·♥·♥·♥·♥·♥·♥·

Who :   When :   Where :

_____

_____

_____

_____

_____

Who :   **When :**   **Where :**

_____

_____

_____

_____

_____

_____

♥·♥·♥·♥·♥·♥·♥·♥·♥·♥·

Who :   **When :**   **Where :**

_____

_____

_____

_____

_____

Who :   When :   Where :

_____

_____

_____

_____

_____

_____

♥·♥·♥·♥·♥·♥·♥·♥·♥·♥

Who :   When :   Where :

_____

_____

_____

_____

_____

Who :   When :   Where :

_____

Who :   When :   Where :

Who :   When :   Where :

♥•♥•♥•♥•♥•♥•♥•♥•♥•

Who :   When :   Where :

Who :   When :   Where :

_____

_____

_____

_____

_____

♥·♥·♥·♥·♥·♥·♥·♥·♥·

Who :   When :   Where :

_____

_____

_____

_____

_____

Who :   When :   Where :

Who :   When :   Where :

Who :   **When :**   **Where :**

_____

_____

_____

_____

_____

_____

Who :   **When :**   **Where :**

_____

_____

_____

_____

_____

_____

Who :   **When :**   **Where :**

_____

_____

_____

_____

_____

_____

♥·♥·♥·♥·♥·♥·♥·♥·♥·

Who :   **When :**   **Where :**

_____

_____

_____

_____

_____

_____

Who :   **When :**   **Where :**

Who :   **When :**   **Where :**

Who :　　　　　**When :**　　　　　**Where :**

_____

_____

_____

_____

_____

_____

♥·♥·♥·♥·♥·♥·♥·♥·♥·

Who :　　　　　**When :**　　　　　**Where :**

_____

_____

_____

_____

_____

_____

Who :   When :   Where :

♥·♥·♥·♥·♥·♥·♥·♥·♥·

Who :   When :   Where :

Who :　　　　　**When :**　　　　　**Where :**

_____
_____
_____
_____
_____
_____

Who :　　　　　**When :**　　　　　**Where :**

_____
_____
_____
_____
_____
_____

Who :   When :   Where :

Who :   When :   Where :

Who : **When :** **Where :**

♥·♥·♥·♥·♥·♥·♥·♥·♥·

Who : **When :** **Where :**

Who :   When :   Where :

Who :   When :   Where :

Who :　　　　**When :**　　　　**Where :**

Who :　　　　**When :**　　　　**Where :**

Who :　　　　　　When :　　　　　　Where :

_____

_____

_____

_____

_____

_____

♥•♥•♥•♥•♥•♥•♥•♥•♥•

Who :　　　　　　When :　　　　　　Where :

_____

_____

_____

_____

_____

Who :   **When :**   **Where :**

Who :   **When :**   **Where :**

Who :   When :   Where :

Who :   When :   Where :

Who :   When :   Where :

Who :   When :   Where :

Who :   When :   Where :

_____

_____

_____

_____

_____

_____

♥•♥•♥•♥•♥•♥•♥•♥•♥•

Who :   When :   Where :

_____

_____

_____

_____

_____

_____

Who :   **When :**   **Where :**

Who :   **When :**   **Where :**

Who :   **When :**   **Where :**

Who :   **When :**   **Where :**

Who :   When :   Where :

Who :   When :   Where :

Who :   When :   Where :

_____

_____

_____

_____

_____

♥·♥·♥·♥·♥·♥·♥·♥·

Who :   When :   Where :

_____

_____

_____

_____

_____

Who :　　　　　When :　　　　　Where :

_____

_____

_____

_____

_____

_____

♥ ･ ♥ ･ ♥ ･ ♥ ･ ♥ ･ ♥ ･ ♥ ･ ♥ ･ ♥ ･

Who :　　　　　When :　　　　　Where :

_____

_____

_____

_____

_____

_____

Who :   When :   Where :

♥ ♥ ♥ ♥ ♥ ♥ ♥ ♥ ♥ ♥ ♥

Who :   When :   Where :

Who :   **When :**   **Where :**

_____

_____

_____

_____

_____

_____

♥ ♥ ♥ ♥ ♥ ♥ ♥ ♥ ♥ ♥

Who :   **When :**   **Where :**

_____

_____

_____

_____

_____

_____

Who :   When :   Where :

Who :   When :   Where :

Who :   **When :**   **Where :**

_____

_____

_____

_____

_____

_____

❤·❤·❤·❤·❤·❤·❤·❤·❤·

Who :   **When :**   **Where :**

_____

_____

_____

_____

_____

_____

Who :   When :   Where :

Who :   When :   Where :

Who :   **When :**   **Where :**

_____
_____
_____
_____
_____
_____

Who :   **When :**   **Where :**

_____
_____
_____
_____
_____

Who : **When :** **Where :**

Who : **When :** **Where :**

Who :   When :   Where :

Who :   When :   Where :

Who :   When :   Where :

Who :   When :   Where :

Who : **When :** **Where :**

♥ · ♥ · ♥ · ♥ · ♥ · ♥ · ♥ · ♥ · ♥ · ♥ · ♥

Who : **When :** **Where :**

Who : **When :** **Where :**

_____

_____

_____

_____

_____

_____

♥·♥·♥·♥·♥·♥·♥·♥·♥·

Who : **When :** **Where :**

_____

_____

_____

_____

_____

_____

Who :   **When :**   **Where :**

_____

_____

_____

_____

_____

_____

❤ ❤ ❤ ❤ ❤ ❤ ❤ ❤ ❤ ❤ ❤

Who :   **When :**   **Where :**

_____

_____

_____

_____

_____

_____

Who :   When :   Where :

_____

_____

_____

_____

_____

_____

♥ · ♥ · ♥ · ♥ · ♥ · ♥ · ♥ · ♥ · ♥

Who :   When :   Where :

_____

_____

_____

_____

_____

_____

Who :   **When :**   **Where :**

_____

_____

_____

_____

_____

_____

❤·❤·❤·❤·❤·❤·❤·❤·❤·❤·❤

Who :   **When :**   **Where :**

_____

_____

_____

_____

_____

_____

Who :　　　　**When :**　　　　**Where :**

_____

_____

_____

_____

_____

_____

♥·♥·♥·♥·♥·♥·♥·♥·♥·

Who :　　　　**When :**　　　　**Where :**

_____

_____

_____

_____

_____

_____

Who :   **When :**   **Where :**

Who :   **When :**   **Where :**

Who :   When :   Where :

♥ ♥ ♥ ♥ ♥ ♥ ♥ ♥ ♥ ♥

Who :   When :   Where :

Who :   **When :**   **Where :**

Who :   **When :**   **Where :**

Who :   When :   Where :

♥ ♥ ♥ ♥ ♥ ♥ ♥ ♥ ♥

Who :   When :   Where :

Who :   When :   Where :

♥ · ♥ · ♥ · ♥ · ♥ · ♥ · ♥ · ♥ · ♥ · ♥

Who :   When :   Where :

Who :   When :   Where :

_____

_____

_____

_____

_____

_____

Who :   When :   Where :

_____

_____

_____

_____

_____

Who :   **When :**   **Where :**

_____

_____

_____

_____

_____

_____

❤·❤·❤·❤·❤·❤·❤·❤·❤·❤·❤

Who :   **When :**   **Where :**

_____

_____

_____

_____

_____

_____

Who :   When :   Where :

_____

_____

_____

_____

_____

_____

♥ ♥ ♥ ♥ ♥ ♥ ♥ ♥ ♥ ♥ ♥

Who :   When :   Where :

_____

_____

_____

_____

_____

_____

Who : **When :** **Where :**

♥·♥·♥·♥·♥·♥·♥·♥·♥·

Who : **When :** **Where :**

Who :   When :   Where :

_____

_____

_____

_____

_____

_____

Who :   When :   Where :

_____

_____

_____

_____

_____

_____

Who :   **When :**   **Where :**

Who :   **When :**   **Where :**

Who :   When :   Where :

_____

_____

_____

_____

_____

_____

Who :   When :   Where :

_____

_____

_____

_____

_____

_____

Who :   When :   Where :

Who :   When :   Where :

Who :   When :   Where :

_____

_____

_____

_____

_____

_____

♥ ٠ ♥ ٠ ♥ ٠ ♥ ٠ ♥ ٠ ♥ ٠ ♥ ٠ ♥ ٠ ♥ ٠

Who :   When :   Where :

_____

_____

_____

_____

_____

_____

Who :　　　　**When :**　　　　**Where :**

Who :　　　　**When :**　　　　**Where :**

Who :   When :   Where :

_____
_____
_____
_____
_____
_____

Who :   When :   Where :

_____
_____
_____
_____
_____

Who :　　　　**When :**　　　　**Where :**

_____

_____

_____

_____

_____

_____

♥•♥•♥•♥•♥•♥•♥•♥•♥•

Who :　　　　**When :**　　　　**Where :**

_____

_____

_____

_____

_____

_____

Who :   **When :**   **Where :**

_____

_____

_____

_____

_____

_____

♥·♥·♥·♥·♥·♥·♥·♥·♥·

Who :   **When :**   **Where :**

_____

_____

_____

_____

_____

_____

Who :　　　　**When :**　　　　**Where :**

Who :　　　　**When :**　　　　**Where :**

Who :   When :   Where :

Who :   When :   Where :

Who :   **When :**   **Where :**

_____

_____

_____

_____

_____

_____

♥•♥•♥•♥•♥•♥•♥•♥•♥•♥•

Who :   **When :**   **Where :**

_____

_____

_____

_____

_____

_____

Who :　　　　　　When :　　　　　　Where :

Who :　　　　　　When :　　　　　　Where :

Who :   **When :**   **Where :**

Who :   **When :**   **Where :**

Who :   **When :**   **Where :**

♥ · ♥ · ♥ · ♥ · ♥ · ♥ · ♥ · ♥ · ♥ ·

Who :   **When :**   **Where :**

Who :   **When :**   **Where :**

_____

_____

_____

_____

_____

_____

Who :   **When :**   **Where :**

_____

_____

_____

_____

_____

_____

Who :   **When :**   **Where :**

_____

_____

_____

_____

_____

_____

❤ ❤ ❤ ❤ ❤ ❤ ❤ ❤

Who :   **When :**   **Where :**

_____

_____

_____

_____

_____

_____

Made in United States
Orlando, FL
23 July 2022